Le Virus du Nul

Les Justiciers masqués
(Marc-Antoine Audette et Sébastien Trudel)

Le Virus du Nul

LES INTOUCHABLES

Les Éditions des Intouchables bénéficient du soutien financier de la SODEC, du Programme de crédits d'impôt du gouvernement du Québec, du PADIÉ et sont inscrites au Programme de subvention globale du Conseil des Arts du Canada.

LES ÉDITIONS DES INTOUCHABLES
1463, boul. Saint-Joseph
Montréal, Québec
H2J 1M6
Téléphone: (514) 526-0770
Télécopieur: (514) 529-7780
info@lesintouchables.com
www.lesintouchables.com

DISTRIBUTION: PROLOGUE
1650, boulevard Lionel-Bertrand
Boisbriand, Québec
J7H 1N7
Téléphone: (450) 434-0306
Télécopieur: (450) 434-2627

Impression: Scabrini Média
Maquette de la couveture: Communications Oblik,
Jean Trudeau
Infographie: Benoît Desroches

Dépôt légal: 2003
Bibliothèque nationale du Québec
Bibliothèque nationale du Canada

ISBN 2-89549-120-8

Remerciements

Merci beaucoup à tous ceux qui nous ont aidés pour ce livre, à commencer par notre éditeur Michel Brûlé. Il fallait vraiment qu'il soit saoul pour nous permettre d'écrire un livre! Merci à notre gérant, Michel «The Sniper» Belleau, à CKOI, à Jean «Harem» Trudeau, à Luc Denoncourt d'*Allô Vedettes*, à tous les journalistes qui nous ont donné un coup de main... Merci à toute l'équipe des Intouchables. Et bien sûr, merci à nos parents, à nos blondes et à nos amis... Si nous en avons encore!

Préface

Y a-t-il vraiment des gens qui lisent les pré-
faces ? Notre éditeur nous assure que oui.
Nous allons donc en écrire une !

Le Virus du Nul, mieux connu sous le nom
latin de *Justicius Masquus Syphilissius*, se
propage sans crier gare : vous vous couchez
avec une petite niaiserie au bout de la
langue et vous vous levez avec une citation
dans un livre avec votre nom en dessous.
Réveil brutal !

Ne paniquez pas tout de suite ! Ne vous
amputez pas tout de suite ! Ne nous pour-
suivez pas tout de suite : il y a certainement
quelque chose de pire qui a été dit par
quelqu'un d'autre !

Le Virus du Nul peut également se mani-
fester sous d'autres formes... Il s'est ainsi
répandu partout. Les Canadiens, les
Raëliens, les politiciens, les artistes, etc. :
tous sont infectés !

Comme vous le constaterez, le Virus du Nul peut frapper n'importe qui, sans avertissement!

Les Justiciers masqués, en collaboration avec le ministère de la Santé, le FBI et Farhat, le plus gros opticien au Québec, vous offrent cependant des moyens simples et efficaces de vous protéger contre cette infection galopante:

1. Ne devenez jamais une personnalité connue.

2. Ne faites jamais de déclaration idiote.

3. Ne montrez pas vos fesses poilues à la télé en spécifiant que vous venez de Normétal.

4. Ne pratiquez pas le lancer du nain en public.

5. Ne rencontrez jamais une Coréenne à Las Vegas.

6. Ne portez jamais un costume ridicule tout en prétendant que vous avez fait cloner un bébé parce que vous êtes le demi-frère de Jésus qui a été kidnappé par des extraterrestres.

7. Ne bombardez aucun autre pays.

8. Ne prêtez pas d'argent à vos amis à 120% d'intérêt tout en ayant une faiblesse entre les deux jambes.

9. Ne lancez pas une comédie musicale qui s'appelle Cindy 2003.

10. Évitez de vous appeler George W., Saddam H. ou José T.

Le Virus du Nul nous guette tous... mais évitez la panique !

Marc-Antoine Audette
et Sébastien Trudel

Les Justiciers masqués

Chapitre 1
Les nouvelles de l'année!

Le clonage

Les temps changent... Il y a plusieurs années, on ne trouvait pas de regroupements comme le Mouvement raëlien. Ah, la bonne vieille époque où tout ce beau monde se réunissait à l'asile! Et en plus, ça ne leur coûtait rien!

****

Cette année, le monde a appris la naissance du premier bébé cloné (sic). Tous les grands journaux du monde l'ont annoncée. En fait, personne ne l'a vraiment vu ni a vraiment eu de preuves qu'il existait... mais ça ne va quand même pas empêcher CNN de faire une émission spéciale avec Sa Sainteté (sic) Raël! Lorsque c'est rendu qu'*Allô Police* vérifie bien mieux ses sources* ! Mais si tout le monde en parle, ça doit être vrai !

On vous semble peut-être un peu amers... En fait, ce n'est pas qu'on condamne Raël d'avoir annoncé au monde entier une nouvelle farfelue, vêtu d'un costume ridicule pour se faire de la publicité gratuite, c'est juste qu'on est jaloux de ne pas y avoir pensé avant lui !

****

Ça a dû être merveilleux pour les parents de prendre dans leurs bras leur nouveau bébé cloné pour la première fois... Avec ses beaux petits yeux... ses trois beaux petits yeux !

À l'heure actuelle, ses premières dents ont déjà percé... sur son front, mais c'est mieux que rien ! Déjà, les offres pleuvent de partout dans le monde. On lui a proposé des millions pour jouer dans une annonce de couches Pampers : c'est le seul bébé qui pisse bleu naturellement !

---

* Sauf la fois où *Allô Police* a publié des photos des Justiciers masqués dans un parc de la Rive-Sud. Et c'était la première fois qu'on voyait cette chèvre...

****

Apprenons à connaître Sa Sainteté Raël!

Quelques faits à noter sur Raël:

- Raël a commencé sa carrière comme journaliste, mais il a quitté ce domaine pour réaliser son plus grand rêve: se ridiculiser en public.

- Raël a la particularité d'être accoutré comme le capitaine Cosmos, mais la comparaison s'arrête là... Claude Steben étant beaucoup plus crédible dans le domaine de la science.

- Raël prétend être le demi-frère de Jésus. D'ailleurs, en comparant Raël et Jésus, on constate des similitudes extrêmement troublantes. Attention, ça fait mal:

Jésus a fait marcher un paralytique...
Raël a regardé tous les épisodes de *Superman*.
Coïncidence? On ne pense pas!

Jésus a redonné la vue à un aveugle...
Raël a profité du 3 pour 1 chez Farhat.
Coïncidence? On ne pense pas!

Jésus a marché sur l'eau...
Raël fait de l'aquaforme.
Coïncidence ? On ne pense pas !

Jésus était le roi des Juifs...
Raël est circoncis. Allô ? Doit-on vraiment en dire
plus pour vous convaincre ?
Coïncidence ? On ne pense pas !

Jésus a déjà provoqué une pêche miraculeuse...
Raël, lui, est excellent pour attirer les poissons...
Coïncidence ? On ne pense pas !

Jésus a passé quarante jours dans le désert...
Raël a passé une fin de semaine à Mascouche.
Coïncidence ? On ne pense pas !

Jésus s'est fait crucifier...
Pour Raël... on se croise les doigts !

****

La pneumonie atypique

L'année 2003 a été propice à des maladies qui ont touché des centaines de milliers de personnes, particulièrement au Canada anglais, alors... Quel sujet de choix pour faire des blagues*! Ha! ha! ha! Nous sommes vraiment de sacrés farceurs!

****

Reportons-nous au début de l'année. Des milliers d'Ontariens sont obligés de rester à la maison et, contrairement à leurs voisins québécois, ce n'est pas à cause de Wilfred. Nous admettons que la comparaison peut paraître déplacée, alors nous offrons toutes nos condoléances aux gens qui ont été contaminés par *Star Académie*. C'est vrai, il y a tout de même des limites à rire du malheur des autres!

* Traduction : *To our dear English-speaking Canadian friends… In these moments of deep tragedy, you can count on the full support of the Masked Avengers. If you understand French well… we're fucked. Anyways…* Envoyez vos plaintes aux Justiciers masqués, 1355, Bank Street, Ottawa (Ontario), K1H 8K7.

Là où il y a des Asiatiques, il y a la pneumonie atypique... Tous les matins, on apprend l'apparition de nouvelles victimes asiatiques, et René Angélil tient à préciser qu'il n'a rien à voir là-dedans*!

Revenons quelques mois en arrière :

À Toronto... c'est la panique! Personne ne sort et tout le monde est couché à 8 h 30. C'est ainsi qu'on constate que, même dans l'adversité, les bonnes vieilles habitudes ne changent pas!

Avec toute cette histoire, on demande à la population d'éviter les destinations asiatiques comme Shanghai, Hong Kong ou Brossard...

Tu sais que la fin approche quand ton *fortune cookie* dit : «Tu vas mourir de la pneumonie atypique!»

On a dit qu'il fallait se protéger à tout prix... Plusieurs personnes portent donc un condom pour aller manger chez Bill Wong!

Un journaliste aurait même aperçu Jean Leloup, dans la rue, qui toussait sans arrêt : ce n'était peut-être pas un excellent *timing* pour faire une *Ballade à Toronto*!

---

* Envoyez vos plaintes aux Justiciers masqués, 1355, Bank Street, Ottawa (Ontario), K1H 8K7.

****

Le Virus du Nil

Les moustiques sont devenus dangereux, du moins suffisamment pour qu'Héma-Québec prenne des précautions extraordinaires pour les transfusions : fiez-vous sur eux, aucun maringouin n'a pu donner du sang! Ouf! Espérons que vous êtes rassurés!

Pour une raison qu'on comprend mal, les premières victimes sont les oiseaux... Quand c'est rendu que c'est le pigeon au complet qui tombe sur la statue, on sait que ça va mal!

Excusez notre langage un peu cru, mais il faut surtout faire attention aux mouches à marde ou une espèce très rare : les mouches à marde de pape!

Chapitre 2
Le sexe

(Ben non, c'est la section politique, mais vous pouvez la lire tout de même... Qu'on ne vous voie pas sauter au prochain chapitre... De toute façon, vous ne comprendrez plus rien à l'histoire!)

Oh, joie! La campagne électorale revient tous les quatre ans!

La victoire de Charest, la défaite de Landry, Robert Gillet... Ah non, c'est vrai... lui, c'était plutôt une histoire de putes et non de députés... quoique lorsqu'on remplace les «é» par des «e», ça revient au même!

****

Le PQ

Le point tournant de la campagne : Jacques Parizeau qui en remet avec ses déclarations sur l'argent et le vote ethnique, et ce, la journée même du débat des chefs. En tout cas, c'est plus évident que jamais, ce n'est pas l'argent le problème, c'est les gros saouls... sous, pardon.

****

Bernard Landry a eu son fameux *make-over* : nouvelles lunettes, nouveaux vêtements, nouvelle blonde... Le PQ a eu droit à un lifting... Malheureusement, ça n'a pas été un grand succès. Ils ont dû le faire faire à la même clinique que Chantale Renaud !

****

«Si la tendance se maintient, nous vous annonçons, en primeur, la défaite du PQ!»

SOURCE : Le service des nouvelles de TQS... il y a cinq minutes !

****

22

Le Parti libéral

Pas question de faire des blagues sur les libéraux : il faut laisser leur chance aux cross... euh... aux coureurs !

****

Enfin, des nouveaux ministres, des nouveaux noms, des nouvelles faces... à entartrer !

****

Dire que Jean Charest a décidé de fêter la Saint-Jean en famille et non au parc Maisonneuve ! C'est normal, puisque le 24 juin est également la date de son anniversaire... Certains l'ont critiqué, mais pas nous : déjà qu'il y a les hot-dogs et la bière pour nous donner mal au cœur !

****

Certaines personnes disent qu'il n'est pas venu parce qu'il a peur d'aller dans les toilettes portatives bleues (vous savez, celles qu'on trouve sur les sites des festivals et qui n'ont pas d'éclairage...). Pourtant, aucune lumière dans son cabinet, ça ne devrait pas l'effrayer!

****

On le comprend un peu, au fond... La Saint-Jean, ce n'est plus ce que c'était... Même pas d'émeute cette année! On s'ennuie des années 1970, dans le temps où on manifestait pour la paix en mettant le feu à des parcs, où l'on manifestait contre la brutalité policière en lançant des pierres et où l'on manifestait notre envie de vomir en buvant de la Laurentides!

****

L'ADQ

Mario Dumont a eu beaucoup de problèmes avec le dossier criminel de l'un de ses organisateurs, qui avait déjà braqué un dépanneur... On peut cependant comprendre Mario Dumont de l'avoir engagé. Il s'agissait d'un simple manque de communication: Mario avait compris qu'il était un spécialiste qualifié, alors qu'en réalité, ce dernier avait déclaré être spécialiste du *vol* qualifié.

****

Mario Dumont s'est fait poser la même question sans arrêt durant la dernière campagne : «N'êtes-vous pas trop jeune pour être premier ministre ?» Il en a eu assez : en moins de deux, Mario avait lancé son XBox aux journalistes et sacré son camp dans sa chambre !

Bon, ça peut sembler baveux de dire ça à propos du beau Mario, mais après tout, il n'a pas daigné nous inviter au party post-campagne de l'ADQ... Ce n'est toutefois pas par mauvaise volonté : «C'est vraiment juste pour quatre personnes, une mégabouffe PFK !» De toute façon, nous refusons catégoriquement de le baver encore plus en affirmant que l'ADQ est la navette Columbia de la politique*.

---

* Il est inacceptable de notre part de faire une blague sur une fin aussi tragique. Toutes nos excuses aux familles des victimes de l'ADQ.

****

Les défusions municipales...

Si nous blaguons à ce propos, c'est à cause d'un pari : un autre humoriste nous a mis au défi de parler de ce sujet excessivement... inspirant (sic) !

Imaginez les annonces de Mastercard à la sauce défusion :

Défusionner les villes : 50 millions de dollars.

Faire des référendums : 80 millions de dollars.

Refusionner les villes : 200 millions de dollars.

Crisser les fonds publics par les fenêtres, ça n'a pas de prix !

Quelques déclarations ridicules de l'année, dans le domaine politique :

Dans la catégorie *Je suis pas sûr que tes collègues vont être contents d'apprendre ça !*

SHEILA COPPS dans une entrevue au *Grand Blond*, le 23 janvier 2003 :

« Je suis souverainiste. Souveraine de chez moi, là. »

****

Dans la catégorie *Tant qu'à me caler*...

SHEILA COPPS dans une entrevue au *Grand Blond*, le 23 janvier 2003 (les commentaires entre crochets...) :

« Si moi je suis une femme [est-ce que tu cherches à nous dire quelque chose, Sheila ?] et que j'ai un accouchement, ça me prend neuf mois [neuf mois pour un accouchement ? Ça doit être un maudit gros bébé !] au Québec et en Ontario [et ça prend combien de temps en Alberta ?]. »

****

Dans la catégorie *Parler pour se caler*.

Dans *La Presse* du 23 juin 2003, le conseiller municipal de Côte-des-Neiges, JEREMY SEARLE, répond de cette façon à des accusations de racisme :

« Je voudrais simplement me protéger en soulignant que mon chien est 100 % noir. Il est noir et son nom complet est Princesse Zoula, en l'honneur de la nation zouloue. »

****

Juste pour finir de s'enfoncer, dans une entrevue accordée au journal *Hour*, JEREMY SEARLE ajoute :

« Si quelqu'un était offensé, c'est de sa faute. »

****

On peut lire dans *La Presse* **du 18 mars 2003 que JEAN CHAREST, devant des centaines de militants en délire, a fait un souhait pour le moins surprenant, surtout de la part d'un candidat au poste de premier ministre du Québec:**

« Le plus beau souhait que je pourrais vous faire, c'est que le 14 avril au soir, vous ayez Éric Mercier élu comme député dans le comté de Charlesbourg et Jean Charest comme premier ministre du Canada. »

****

SERGE MÉNARD, ministre fort connu du Parti québécois, déclare à un journaliste:

« Il n'y a aucun problème au conseil des pénis. »

NOTE: La Bourse a mal réagi à cette annonce.

SOURCE: Nous n'avons pas la date exacte, mais le tout a été vérifié par Pierre Paradis, à qui nous avons enfin trouvé une utilité. Il nous en est très reconnaissant.

****

GEORGE W. BUSH, à la suite d'un attentat suicide en Israël, a ceci à déclarer sur les ondes de CNN, le 13 mai 2003, à propos des coupables :

« Ces horribles attentats-suicides ont été commis par des tueurs dont la seule motivation est la haine. Et les États-Unis vont trouver ces kamikazes, et ils vont apprendre ce qu'est la justice américaine. »

NOTE : Imaginez leur mine d'enterrement lorsqu'ils vont se faire prendre...

****

Le 24 février 2003, GEORGE W. BUSH prononce un discours sur les problèmes d'apprentissage. Il éprouve cependant lui-même quelques difficultés à relire les notes qu'on lui a fournies :

« Il y a trop de nos enfants qui ne savent ni lire ni écrire et additionner et soustraire, et on est mieux de trouver un moyen comment non seulement trouver un moyen, mais aussi un remède, avant qu'il soit trop tard. »

NOTE : *Dzire ke ces le praisident des Étas-Zunis !*

****

Le 15 octobre 2002, GEORGE W. BUSH révèle à tous et toutes ses connaissances du monde de l'économie :

« En y pensant bien, une personne à faibles revenus peut s'acheter une aussi belle maison que n'importe qui d'autre. »

NOTE : Et une personne sans éducation peut occuper un poste très important...

****

GÉRALD TREMBLAY, maire de Montréal, est aujourd'hui reconnu pour ses bourdes grâce à une déclaration qu'il a faite peu après la victoire de la coupe Grey des Alouettes, le 11 novembre 2002, alors qu'il se trouvait devant les joueurs, des centaines de journalistes... et qu'il avait un texte écrit entre les mains !

« Félicitations aux Expos... [Huées de la foule.] Quoi ?! Ah... aux Alouettes... C'est une grande victoire pour Montréal d'avoir remporté la coupe Stanley... [Encore plus de huées de la foule.] »

NOTE : Il a par la suite félicité l'entraîneur Bob Gainey et exprimé tous ses regrets concernant les événements qui affectent actuellement le quart arrière José Théodore. Il a également été invité à un match dans le cadre des cérémonies d'ouverture, au cours desquelles le maire a embrassé un ballon, avant de botter un bébé. C'est encore heureux qu'il n'ait pas pensé qu'il assistait à une partie de baseball !

****

En février 2003, GÉRALD TREMBLAY explique son plan d'action pour les prochains mois:

« Nous allons baiser les taxes. »

NOTE: On va encore se faire fourrer.

****

JEAN CHAREST, le 14 avril 2003, après sa victoire aux élections:

« La priorité numéro 1 d'un gouvernement du Parti québéc... Parti libéral... [La foule hue.] Trop tard, les *polls* sont fermés! »

****

Le 20 juillet 2002, JEAN CHRÉTIEN, un pionnier dans le monde des déclarations saugrenues, y va d'un aveu intéressant sur son âge :

« Quand j'étais jeune, le mot "marijuana" n'existait même pas. »

NOTE : Après de longues recherches étymologiques sur l'histoire du mot «marijuana», nous avons établi que, si Jean Chrétien disait la vérité, il fêterait son 803ᵉ anniversaire cette année.

****

Dans la catégorie *Déclaration qui dit tout*.

À la suite des déclarations de sa conseillère Françoise Ducros (qui a été surprise en train de traiter le sympathique président des États-Unis de «moron»), JEAN CHRÉTIEN rectifie la situation :

« Le président Bush n'est pas un moron. C'est mon ami. »

NOTE : Effectivement, il n'y a rien à ajouter.

****

Le 19 mai 2003, GEORGE W. BUSH montre au monde entier à quel point il a de la compassion :

« D'abord, laissez-moi vous dire la chose suivante : les pauvres ne sont pas *nécessairement* des tueurs. Juste parce que vous vous avérez ne pas être riche ne signifie pas que vous êtes disposé à tuer. »

NOTE : Et les riches ne sont pas *nécessairement* des trous de cul !

****

Le secrétaire d'État à la Défense DONALD RUMSFELD, un des hommes les plus puissants des États-Unis, déclare ceci à propos des preuves que lui ont fournies les services secrets américains sur Al-Qaïda :

« Nous savons de source sûre qu'il [Oussama Ben Laden] est en Afghanistan, ou qu'il est dans un autre pays, ou qu'il est mort. »

****

Le 16 juillet 2003, GEORGE W. BUSH explique à quel point les États-Unis sont un pays charitable... Mais il ne veut pas vraiment insister sur la question !

« Notre pays met plus d'un milliard de dollars par année pour venir en aide aux affamés. Et nous sommes de loin la nation la plus généreuse du monde quand il est question d'aide humanitaire, et j'en suis fier. Ce n'est pas un concours pour savoir qui est le plus généreux. Je vous le dis en passant : nous sommes généreux... Euh... Nous ne devrions pas nous vanter à ce sujet. Mais nous sommes très généreux. »

****

GEORGE W. BUSH, le 4 juin 2003, nous rassure tous énormément en avouant candidement :

« J'analyse peu souvent. Vous savez que je ne passe pas beaucoup de temps à penser ou à me demander pourquoi je fais certaines choses. »

****

Le 7 mai 2003, ce bon vieux W. BUSH discourt géographie :

« Je pense que la guerre est un endroit dangereux. »

****

GEORGE W. BUSH, le 13 avril 2003, fait un lapsus intéressant :

« Vous [les Irakiens] êtes libres. La liberté est belle, mais vous savez, cela prendra du temps avant de restaurer la paix et le chaos… euh… de restaurer la paix et d'éliminer le chaos. »

****

DONALD RUMSFELD, le secrétaire d'État à la Défense des États-Unis, y va de cette explication alors qu'il est interrogé sur le rôle du président dans le cadre de la guerre en Irak :

« Ne mettez pas tout sur le dos du patron : il a déjà assez de problèmes comme ça ! »

NOTE : T'as ben raison, pauv'tit… y fait tellement pitié : c'est juste l'homme le plus puissant du monde !

****

DONALD RUMSFELD est de plus en plus précis dans ses déclarations aux journalistes :

« Je ne peux pas vous dire si l'effort de guerre actuel en Irak durera cinq ans, cinq jours ou cinq semaines, mais ce ne sera certainement pas plus long que ça. »

NOTE : Bon, maintenant qu'on est fixé...

****

BERNARD LANDRY est reconnu pour son « grand tact » et son « immense délicatesse ». Pas snob pour deux sous et compréhensif, comme l'atteste cette déclaration, parue le 10 mars 2003 dans *Le Devoir*, qui a fait beaucoup jaser :

« Si les oiseaux, avec la cervelle qu'ils ont, nourrissent leurs enfants le matin, comment se fait-il qu'il y a encore du monde qui ne nourrissent pas leurs enfants ? »

NOTE : Question de gagner les élections, le premier ministre en a profité par la suite pour traiter les féministes de «dindes», les infirmières de «poules de luxe» et les fonctionnaires de «chickens»! *Way to go*! On ne lâche pas! Landry en 2008!

****

**MAURICE BOUCHER fait une drôle de consta-
tation au cours d'une conversation avec un
Rocker, enregistrée en secret, le 29 juin 2002,
par la police:**

« La province de Québec, c'est une ville de
bandits. »

NOTE: Ben, c'est parce qu'une province, c'est pas une
ville... Ah! pis, de la marde: on veut pas mourir!

Chapitre 3
Le sport

Après *Les Amateurs de sport*, voici *Les Amateurs... du sport*!

Quelle année dans le monde du sport! On ne peut passer à côté des déboires du Canadien. On aurait pu faire un volume complet sur l'équipe, avec l'inscription «Livre de poches»! C'est clair, la défensive du Canadien avait une nouvelle stratégie: au lieu de pratiquer l'échec avant, elle pratiquait l'échec tout court...

Que dire du défenseur Patrice Brisebois? Alors que ses coéquipiers se battaient pour une place dans les séries et qu'il était censé être incommodé par une blessure, le sympathique Patrice gambadait en France, profitant pleinement de son congé!

Certains ont dit que Patrice avait besoin de ces vacances pour s'éloigner un peu du stress d'un vestiaire de hockey... Malheureusement, il n'a pas nécessairement choisi le meilleur endroit du monde pour oublier l'odeur du sportif...

Comme un malheur n'arrive jamais seul, Patrice a également eu un accident de la route pendant une course dans le secteur du mont Tremblant. En fonçant dans une autre voiture, c'était la première fois de l'année qu'il frappait quelqu'un !

Son arrivée à l'hôpital a été assez remarquée. Faut le faire : être hué sur la table d'opération !

Il a semé la panique à l'urgence parce qu'on ne trouvait pas ses pulsations. Mais les médecins ont vite été rassurés : il n'a tout simplement pas de cœur !

****

Les Théodore dans l'eau chaude...

Puis il y a eu l'affaire Théodore... Et le moins qu'on puisse dire, c'est que ça suscite de l'intérêt... au moins 120 % ! Voyons plutôt les choses positivement : ça fait des années que le Canadien recherche de gros joueurs qui frappent et qui savent manier le bâton... Allô?! Tout ce temps-là, la famille de José aurait parfaitement fait l'affaire!

L'an dernier, tout le monde chialait parce que José gagnait six millions... En réalité, il ne gagnait que deux millions, mais la direction du Canadien l'avait emprunté... Alors, avec les intérêts...

Toute une opération policière, mais toute une mauvaise saison! C'était la première fois de l'année qu'on trouvait les mots «Théodore» et «arrêtés» dans la même phrase!

Les Théodore, c'est aussi une famille de beaux bonhommes... D'ailleurs, ils ont tous déjà été mannequins : personne n'a été dépaysé quand ç'a été le temps de se faire photographier de face et de profil!

Une chance que José a été épargné dans cette histoire... Imaginez-vous : en prison avec un nom de fille!

Le bon côté, c'est que s'ils vont en prison, les Théodore seront déjà habitués à côtoyer des gardiens...

Ne soyons pas trop inquiets pour José : si jamais il doit quitter son emploi, il pourra toujours ouvrir son propre magasin de vêtements : les Hells de la mode! À la limite, il pourrait également travailler avec les Crooners et Claude Blanchard, puisqu'ils sont eux aussi habitués à faire chanter au casino! Et si tout va mal, il pourra toujours animer *MixMania* et se faire surnommer *Shyluck* Mervil!

****

Un p'tit coup de BAR

En parlant de déboires, on pense immédiatement à Jacques Villeneuve qui a prouvé hors de tout doute qu'il arrive chaque été comme un bon thé glacé, c'est-à-dire avec un citron! Des huissiers ont même saisi les deux voitures de l'écurie... et les ont ramenées quelques heures plus tard, après qu'un vendeur de chars d'occasion ait refusé de s'abaisser à refiler ça à un client!

Vous étonnez-vous vraiment qu'à chaque course son moteur tousse et étouffe alors que son commanditaire, dont le nom est écrit en grosses lettres sur le capot, est une compagnie de cigarettes (Lucky Strike)?

****

Malgré les problèmes de Jacques, il faut se rendre à l'évidence, la formule 1 est devenue notre deuxième sport national (après le hockey, bien sûr). Quoique très différents, ces sports ont toutefois des ressemblances qui pourraient expliquer notre intérêt. Voici quelques exemples :

En formule 1 : Le principe est de tourner en rond pendant une heure...

Au hockey : C'est beaucoup plus intéressant : patiner dans un cercle pendant trois fois vingt minutes !

En formule 1 : C'est le sport des Européens : des Italiens, des Français, des Allemands...

Au hockey : On peut compter sur des p'tits gars de chez nous comme Pavel Bure, Saku Koivu, Oleg Petrov...

En formule 1 : C'est ridicule, c'est toujours le même qui gagne !

Au hockey : On ne sait jamais ! Des fois c'est les Devils, des fois c'est l'Avalanche, des fois c'est New Jersey ou même Colorado.

Certains disent que la Formule 1 commence à être trop douillette. Un bon moyen de hausser le niveau d'un cran? Remplacer la moitié des pilotes par des vieilles Chinoises... Juste de les voir «déclutcher», ça va être un sport! Un pilote de Formule 1 qui roule à quarante-cinq sur la voie de gauche? Pourquoi pas?

****

Chaque année, le printemps arrive avec les incontournables de Dame Nature: les bourgeons, le dégel et le nouveau PDG du Canadien! L'annonce d'un nouveau PDG, c'est comme le couronnement d'un roi, sauf que lorsqu'ils apprennent la nouvelle en lisant la section des sports, ce sont habituellement les partisans qui sont sur le trône!

De l'avis de tout le monde, Bob Gainey est un administrateur qui saura se faire respecter par ses poulains. Bob Gainey! Un vrai de vrai d'entre les vrais! Un guerrier! Un fier combattant! Bob Gainey, un gars qui est né avec des cicatrices! Bon, c'est vrai que le médecin l'a échappé une couple de fois, mais ça surprend toujours un bébé laid!

Quand il jouait au hockey, Bob terrorisait les joueurs de l'équipe adverse. Normal: à l'époque, on jouait sans casque dans la

LNH, alors ceux-ci lui voyaient la face !

Bob Gainey est tellement laid qu'avec sa carte Upperdeck, c'est pas d'la gomme qu'on donnait, c'est des Gravol !

Les meilleures déclarations du monde du sport*:

PIERRE HOUDE, commentateur à RDS, cherche à décrire l'excitation qui est à son comble durant la finale de la coupe Stanley, le 9 juin 2003. Chacun a ses comparaisons pour décrire... l'excitation !

« Ça donne l'impression d'être assis sur une perceuse ! Tout branle ! »

NOTE : Avec Pierre Houde comme porte-parole, Black & Decker saura enfin où se situe leur produit.

****

Un auditeur demande à RON FOURNIER, chroniqueur sportif émérite de la station CKAC, d'expliquer, selon sa connaissance du monde du hockey, les problèmes internes qui déchirent le Canadien de Montréal. Voici intégralement la réponse de Ron :

* Pour vous présenter les plus ridicules, disons que nous vous avons évité les clichés habituels et que nous avons donné notre 110% et joué fort dans les coins.

« C'est simple : tu peux pas faire une salade de poulet avec du caca de poulet. »

NOTE : Ron Fournier a employé cette phrase à plusieurs reprises au cours des mois de février et mars 2003.

****

Dans la catégorie *Parler pour ne rien dire*.

Au cours d'une discussion sur le Canadien de Montréal, MICHEL BERGERON emploie toute son expertise du monde du sport pour expliquer les problèmes de l'équipe :

« Le Canadien est une équipe du Canada. »

****

GREG NORMAN, célèbre golfeur, se confie avec émotion après un tournoi :

« Je dois beaucoup à mes parents. Particulièrement à mon père et ma mère. »

NOTE : Cette déclaration a été rapportée par le *USA TODAY*, mais n'est pas datée.

****

ÉRIC GAGNÉ, releveur des Dodgers, déclare le 16 juillet 2003 à RDS :

« Chaque jour, c'est une nouvelle journée. »

****

En hommage à PATRICK ROY, qui a pris sa retraite cette année, voici l'une de ses meilleures déclarations, ayant été faite après qu'un journaliste lui ait demandé de commenter des négociations en cours...

« Va falloir que les deux parties mettent du vin dans leur verre. »

NOTE : Cette déclaration n'est pas datée, elle a toutefois été diffusée à TQS en 2003.

****

Dans la catégorie *Mieux vaut en rire...*

Le dimanche 29 juin 2003, après le Grand Prix d'Europe, JACQUES VILLENEUVE explique sa course de cette façon :

« C'est vraiment dommage, parce que la voiture était rapide. Pendant un moment, j'ai même eu peur car j'ai cru que j'allais terminer la course, mais heureusement, rien n'a changé et je me suis arrêté avant la fin. »

NOTE : Cette déclaration est également unique car c'est la seule de l'année où Jacques Villeneuve ne *bitchait* pas quelqu'un de son entourage !

****

Dans la catégorie *Prendre une carabine pour se tirer dans le pied*.

MIKE TYSON, boxeur et grand génie du monde des athlètes, est offusqué par un article du chroniqueur Wallace Matthews du *New York Post*. En furie, voici comment il se défend :

« Il m'a traité de violeur et de reclus... Je ne suis pas un reclus. »

****

Dans la catégorie *Presque aussi bon que Mike Tyson pour défendre son point de vue*.

ALAN MINTER, ancien boxeur, défend vigoureusement son sport préféré au cours d'une entrevue télévisée à HBO :

« C'est sûr, il y a eu des blessures et des décès

à la boxe, mais aucun d'entre eux n'était sérieux. »

****

Au mois de mars, MICHEL BERGERON explique que l'actuel directeur gérant du Canadien est bien en selle et qu'il n'y a aucune chance qu'il soit remplacé par Bob Gainey.

« Bob Gainey ! Bob Gainey ! As-tu déjà vu un pêcheur dans une chaloupe ? C'est-tu excitant ? Ben, c'est ça, Bob Gainey ! André Savard, n'importe quand ! »

NOTE : Bob Gainey a été nommé directeur gérant deux mois plus tard, avec les éloges de tous, dont Michel Bergeron... Heureusement qu'on a nos experts du sport !

****

Dans la catégorie *J'vais recevoir mon chèque d'un million par la poste !*

SHAQUILLE O'NEAL déclare :

« J'en ai assez d'entendre parler d'argent. L'argent, toujours l'argent ! Tout ce que je veux, c'est jouer, boire du Pepsi et porter des Reebok ! »

****

PATRICK CARPENTIER, coureur automobile, sort de piste à la suite d'une erreur commise par un autre pilote, Mario Dominguez. Le 27 juillet 2003, un journaliste de RDS lui demande d'analyser sa fin de course. Il répond :

« Y a pas grand-chose à dire... À part que... c't'un hostie d'tata. »

****

TIGER WOODS est un gars sérieux et sans humour ? Détrompez-vous !

« Le hockey est un sport pour les Blancs. Le basket-ball est un sport pour les Noirs. Le golf est un sport pour les Blancs qui s'habillent comme des *pimps noirs* ! »

NOTE : Avec les *pimps* au golf, qu'en est-il du *mini-pute* ?

****

Dans le *Globe and Mail* du 26 juillet 2003, on rapporte les propos d'un chroniqueur sportif de CBC, RON MacLEAN. Ce dernier défend son collègue, Don Cherry, que l'on accuse d'être raciste et xénophobe. Il affirme aussi ne pas appuyer ses dires. Puis, un peu plus tard, après l'interprétation de l'hymne national en français et en anglais, il déclare devant la foule :

« Don Cherry n'a rien contre l'immersion des francophones... Ça dépend juste combien de temps tu les retiens en dessous de l'eau. »

NOTE : Beaucoup de gens accusent Don Cherry de racisme. Rien n'est plus faux. C'est même un sujet délicat pour M. Cherry, étant donné que son grand-père a été une victime des camps de concentration. En effet, il est tombé d'un mirador .

****

Au cours d'une entrevue télévisée, MIKE TYSON prétend fréquenter un psychologue pour ses problèmes de violence. Quelques instants plus tard, invité à parler de son prochain combat contre Lennox Lewis, il prouve à quel point la thérapie l'a aidé jusqu'à maintenant :

« Je veux lui arracher le cœur et le forcer à le manger. Je veux tuer des gens. Je veux arracher leur estomac et manger leurs enfants. »

****

MIKE GREENWELL, joueur de baseball, fait des déclarations pour le moins surprenantes:

«Moi je conduis un 4 x 4, je suis ce genre de gars-là. Ma femme aussi.»

NOTE: Salut, chérie! Est-ce que c'est un téléphone dans ta poche, ou es-tu juste contente de me voir?

****

LE 28 juillet 2003, JEFF O'NEIL, joueur de hockey pour les Hurricanes de la Caroline, nous parle de la dure réalité des joueurs professionnels:

«S'il y a un arrêt de travail en 2004, les joueurs qui gagnent dix millions de dollars par année ne sont pas vraiment affectés, mais ceux qui ont un salaire de deux ou trois millions de dollars devront commencer à faire un budget.»

NOTE: *Fuck you*!

NOTE: Peut-être que José peut vous trouver de l'argent...

Chapitre 4
Le showbiz en 2003*

L'événement télévisuel de l'année 2003 : des éliminations, des pleurs, des caméras qui filment les images les plus atroces... Non, on ne parle pas de la guerre en Irak ! Vous l'aurez deviné, il s'agit plutôt de *Star Académie*. Que dire des angoisses du gros Stéphane, du fromage qui fait skouik skouik, des conversations de Marie-Mai avec son chum ?

Ah ! des moments de télé qu'on rêvait de voir ! Un homme marcherait finalement sur la Lune qu'on serait moins excité* !

* Note de l'éditeur : 40 % du cachet des Justiciers masqués pour ce chapitre sera remis à Julie Snyder. Pour réclamer votre chèque de 3,95 $, écrivez aux Justiciers masqués, 1355, Bank Street, Ottawa (Ontario), K1H 8K7.

* Note de l'éditeur : Les Justiciers masqués ont arrêté l'école en secondaire 2 et ne savent donc pas qu'on a déjà marché sur la Lune. Je me décharge personnellement de leurs niaiseries... Et dire que j'aurais pu publier Michel Tremblay à la place !

Malgré tout, selon plusieurs, cette émission peut être considérée comme un phénomène de masse : pour ceux qui ont vu Josélito Michaud en pantalon de cuir, ça semble évident ! Enfin, nous avons recueilli dans ce chapitre les informations et les *scoops* que vous voulez avoir sur l'Académie. (Paul Arcand peut aller se rhabiller... et c'est mieux ainsi !)

****

Star Académie a permis à TVA d'augmenter ses profits de 38 %... Ça, c'est bon, parce que ça a donné au réseau la possibilité d'investir dans plein de nouvelles séries (et ce, dès les mois qui ont suivi) comme *L'île de Gilligan*, les films d'Elvis, *Columbo* et les épisodes de 1989 des *Feux de l'amour*.

****

Faites le calcul avec nous : 500 000 albums vendus pour *Star Académie*, à raison de 4 sous par album pour les académiciens... Enlevez à cela les 40 % de coût de production et les 50 % d'impôt, moins environ 6 % de dépenses personnelles... Pensez que, pour plusieurs d'entre eux, c'est leur premier et leur dernier disque... Ça leur laisse logiquement un gros 4%!

****

Près d'un Abitibien sur deux a répondu qu'il avait voté pour Stéphane au cours de l'émission. L'autre Abitibien n'a pas pu répondre au sondage, puisqu'il était dans la grange en compagnie de sa cousine...

****

Star Académie a également mis en vedette des jumelles blondes de dix-neuf ans, par ailleurs filmées en permanence par des webcams! Près de 30% de l'auditoire de TVA est maintenant composé de jeunes hommes dans la vingtaine qui manipulent leur souris d'ordinateur de la main gauche*.

****

* Note de l'éditeur: Toute offre de nature sexuelle de la part d'Annie ou de Suzie serait grandement appréciée des auteurs. Envoyez votre numéro de téléphone aux Justiciers masqués, 1355, Bank Street, Ottawa (Ontario), K1H 8K7.

Stéphane, surnommé affectueusement «le Tout Nu de Normétal», a été transporté en ambulance à la suite d'une attaque de panique. Ce bûcheron de vingt-sept ans aurait également souffert d'angoisse en mettant du pain dans son *toaster* et abandonné la maternelle à cause de la pression!

****

Bernard Landry a été l'invité surprise de l'une des premières émissions de l'Académie... Bizarrement, au même moment, un certain J. Charest votait dix mille fois pour l'éliminer.

****

Star Académie: les vrais de vrais potins... C'est garanti!

La turbulente Marie-Mai a le nombril percé ainsi que la langue. Lorsqu'on lui a demandé si elle voulait percer dans le milieu, elle a répondu qu'elle était déjà percée là aussi! Voilà une chose qu'on n'a pas vue sur la webcam!

****

Le sympathique Stéphane a finalement accepté de suivre des cours de diction : «les tabarnacs de chaussettes de l'archiduchesse sont crissement sèches» furent ses dernières paroles avant que le prof ne s'évanouisse !

****

Charles Aznavour a visité l'Académie. Or, selon les sources de l'agence de presse *Reuters-Les Justiciers*, les producteurs auraient préféré avoir la visite de Gilbert Bécaud. Pour une raison inconnue de nos services, M. 200 000 volts n'aurait pas donné suite aux appels de la recherchiste ! Scandale* !

****

La télé-réalité

C'est la nouvelle mode au Québec... Et plus ça ira, plus il y en aura : aux États-Unis,

* Note de l'éditeur : (sic).

le monde des médias est composé presque uniquement d'amateurs, et ce, même sur Internet! On reçoit sans arrêt des courriels intitulés : «*FREE AMATEUR SLUTS, FREE AMATEUR GAY THREESOME, FREE AMATEUR GIRLS AVEC UN BISON EN RUT*»... La preuve que ça pogne : il y a des amateurs!

****

Il y a d'abord *Survivor*, où les participants n'ont pas de logis, n'ont rien à manger et ne se lavent pas... Cette émission a révolutionné la télévision. Pourtant, ça fait des années que la chorale de l'accueil Bonneau emploie le même concept!

****

Aux États-Unis, on trouve une émission où trente filles se promènent à moitié nues pour avoir la chance de se marier avec un gars riche. Ça s'appelle *The Bachelor* ou, au Québec, de la prostitution!

****

Il y a également *American Idol* ou (s'il n'y a plus de budget et que les participants chantent mal) *Le Grand Défi Karaoké Le Lait*...

****

MusiMax a même entrepris de filmer vingt-quatre heures sur vingt-quatre un personnage reconnu pour ses vêtements fuckés, son entêtement à faire de la télé et ses opinions incohérentes... Et là, on ne parle pas de Nabi, mais bien de Michèle Richard... C'est une grande première à MusiMax : pour une fois, ce n'est pas le caméraman qui cadre mal... c'est elle qui marche croche à partir de 9 h du matin : elle est tout le temps saoule ! Tous ces événements l'ont forcée à partager sa vie avec un chien... Mais comme elle a divorcé, passons sur ce chapitre ! Elle préfère dorénavant cohabiter avec Puppie !

****

La publicité

Peut-être avez-vous entendu parler de la controverse sur le Centre de Santé Minceur qui vendait à des prix de fous des produits d'amaigrissement bidon ?

Pourtant, ces gens promettaient à leurs clients qu'ils perdraient trente livres en quatre semaines et, dans notre cas, ça a très bien fonctionné... Au prix que ça nous a coûté, nous avons été obligés de nous priver de bouffe pendant un mois !

****

Dans *Le Journal de Montréal*, on a pu lire un article complet sur l'opticien Farhat, qui se vante d'économiser de l'argent en jouant dans ses propres annonces... Pas étonnant que ses clients ne désertent pas ses magasins à cause de ses publicités : ils ne les voient pas, ILS SONT TOUS MYOPES !

****

La publicité du Abtronic, la machine qui vous donne des petits chocs électriques pour vous faire perdre du poids et vous muscler les abdominaux, a été retirée des ondes cette année... Il semblerait que ce soit de la fausse représentation ! Des petits chocs électriques pour perdre du poids en quelques semaines... Si on se fie à cette logique, vous n'avez qu'à vous lancer dans un bain avec un sèche-cheveux, et en un jour, bingo ! Cinquante livres en moins et le titre de Monsieur Univers !

****

Le cinéma en 2003

Au cinéma, la palme de la popularité va sans contredit aux super-héros. Mais le méritent-ils vraiment ?

Commençons par Spiderman : un adolescent qui projette une substance bizarre avec ses *poignets*... Est-ce que c'est nous qui n'y connaissons rien ou y a pas de quoi faire un film ?

Sérieusement, si on a bien compris, il s'est mis à lancer de la toile après avoir été piqué par une araignée... En voilà un qui est chanceux de ne pas avoir été piqué par une mouche à marde !

****

Poursuivons avec L'Incroyable Hulk ou, si vous préférez, le géant vert sur les stéroïdes... Nous disons «stéroïdes» parce que c'est la seule chose qui peut expliquer pourquoi ses pantalons ne se déchirent jamais!

****

Et il y a Superman... Que nous ne voyions personne faire de blague là-dessus! Sachez qu'il est toujours en mesure de sauver une femme d'un *building* en feu, à condition qu'il y ait une rampe d'accès.

Les déclarations les plus drôles de l'année dans le monde du showbiz:

MARIE-CHANTALE TOUPIN dans une entrevue au *Grand Blond*, le 16 octobre 2002. Que dire de plus?

Marc Labrèche: Est-ce que tu t'intéresses à la politique, toi, Marie-Chantale?

Marie-Chantale Toupin: Pas pantoute.

ML: Ah non?

MCT: Non. Moi j'trouve que c't'un sujet que...

c'est tout le temps un débat. C'est comme…
c'est comme… la religion ! Faque j'suis pas ça
pis c'est ben correct !

ML : Ah oui, tu t'en portes pas plus mal pis
t'es pas plus malheureuse ?

MCT : Non. J'vas voter, pis j'demande : tu
votes pour qui, toé ? Pis j'fais pareil !

****

**STÉPHANE de Normétal se confie dans le livre
intitulé *Dans l'intimité de Star Académie* :**

« Je suis une petite marionnette du bon Dieu,
je pense. Il m'a donné des mains, des pieds,
une voix, un visage. »

NOTE : Des mains, des pieds et un visage, on est d'accord.
Une voix ?

****

**Pendant que des enfants meurent de faim et
que la moitié de la planète est en guerre,
CHRISTINA AGUILERA y va de sa solution…**

« Je pense que tout le monde devrait avoir un
Wonderbra… Il y a tellement de moyens de

les grossir... Tout le monde le fait!»

NOTE: Albert Einstein en jupe, mesdames, messieurs!

****

CHRISTINA AGUILERA fait une déclaration surprenante sur sa condition... personnelle!

«Je ne suis pas une fille facile comme les autres...»

NOTE: Ah, fiou! Au moins, c'est une fille facile différente!

****

MICHAEL JACKSON, dans une entrevue avec le journaliste Martin Bashir, se défend d'être un *weirdo*. Il y va d'une confession surprenante:

«Je n'ai eu de chirurgie plastique que sur mon nez. Je le jure sur la vie de mes enfants! Et seulement deux opérations. Pour que je puisse chanter des notes plus hautes.»

NOTE: *Yeah, right...* Et le scout ligoté au sous-sol était là par hasard!

****

Ah! comme c'est émouvant d'entendre quelqu'un raconter la venue au monde de son enfant! MICHAEL JACKSON relate celle de son fils:

« Je ne connais pas la mère. [Quand le bébé est né] je l'ai attrapé et je suis parti à la maison avec le placenta et tout ce qu'il y avait sur lui. Je suis sérieux. Je l'ai mis dans une serviette et je suis parti en courant. Ils ont dit que c'était correct. Je suis arrivé chez moi et je l'ai lavé. »

****

L'homme que toutes les filles désirent, BRAD PITT, a avoué qu'il voyait le mariage de façon très... conventionnelle!

« Être marié, ça veut dire que j'vais enfin pouvoir péter et manger de la crème glacée au lit. »

NOTE: Vous voyez, les filles, il est comme tous les autres! Na-ni-na-ni-bou-bou!

****

S'il y a une chose qu'on peut affirmer sur nos cousins français sans risquer de se tromper, c'est que, malgré la distance, ils sont au courant de la réalité québécoise, comme en témoigne cet extrait d'un reportage de la revue française *Historia* sur « La formidable histoire du Québec », le 26 octobre 2002.

« Dans la Belle Province, six millions de francophones cohabitent avec deux cent cinquante millions d'anglophones. »

****

ANGELINA JOLIE, bien connue pour ses... euh... pour son rôle dans *Lara Croft*, avait ceci à dire à propos de sa vie sexuelle :

« J'ai besoin de plus de sexe, OK ? Avant de mourir, je veux avoir goûté à tout le monde sur la planète ! »

NOTE : Est-ce qu'on peut être les deux premiers dans la file ?

****

La chanteuse MARIAH CAREY a eu quelques problèmes de santé mentale et a été internée pendant une brève période de temps... Mais

ça ne semble pas encore totalement réglé!

« Partout où je vais, il y a des papillons qui me suivent. »

NOTE: On veut l'adresse de son *pusher*! Euh... à des fins purement médicales!

****

L'ancienne mannequin et actrice ELIZABETH HURLEY a des opinions bien tranchées sur le corps féminin...

« Si j'étais aussi grosse que Marilyn Monroe, je me suiciderais. »

NOTE: Après des paroles pareilles, il y a certainement quelques filles qui lui proposeraient d'abréger ses souffrances très rapidement!

****

CÉLINE DION fait une confession surprenante à propos de ses projets pour son fils René-Charles:

« Oh, mon Dieu, quand il aura vingt ans, qu'est-ce qui va m'arriver? Je vais le marier. »

****

Sur les habitudes alimentaires de René-Charles, CÉLINE DION affirme:

«Il a seize mois et mange du savon et du papier. Que se passe-t-il avec les enfants?»

****

CÉLINE nous donne finalement la preuve qu'elle a bel et bien arrêté de travailler pendant deux ans. Elle disposait peut-être même d'un peu trop de temps libre... Toujours à propos de René-Charles:

«Je sens ses pieds... Ils ont une odeur qui ressemble au vinaigre.»

SOURCE: www.saidwhat.co.uk

****

MARIE-CHANTALE TOUPIN, chanteuse populaire, déclare que son nouvel album lui ressemble et reflète vraiment sa personnalité... On lui demande donc d'expliquer ce

que ça veut dire pour elle, « rester soi-même ». Voici sa réponse :

« Rester moi-même, c'est lorsqu'on me pile sur le pied : la première fois, je vais dire "Ayoye!" et la deuxième fois, je vais dire "Tasse-toé!", tu comprends? »

NOTE : Quoi ?

SOURCE : Entrevue reproduite sur le site www.canoe.qc.ca en février 2003.

****

MARIE-CHANTALE TOUPIN, au cours de la même entrevue, donne sa définition du succès :

« Si c'est ça le succès, je ne savais pas que c'était ça : ça n'a rien changé dans ma vie. J'ai toujours la même petite routine : je fais encore mon déjeuner le matin, j'ai pas de femme de ménage parce que j'ai pas les moyens. [...] C'est sûr! Je pourrais m'en payer une femme de ménage, mais j'aime mieux faire mon ménage moi-même! J'aime ça frotter, nettoyer. »

SOURCE : Entrevue reproduite sur le site www.canoe.qc.ca en février 2003.

****

Dans le journal *Allô Vedettes* du 9 mars, NATHALIE CHOQUETTE parle au journaliste Luc Denoncourt de la première fois qu'elle a rencontré Charles Dutoit pour préparer un concert:

« La première chose que je lui ai demandée, c'est d'aboyer. Il m'a regardé et m'a dit: « Pourquoi pas ? » Il a refusé une seule chose: faire un tour en tricycle. »

NOTE: Et dire que ce sont les musiciens rocks qui ont la réputation de faire le *party* !...

****

LUC PLAMONDON est un artiste. Et les artistes ne sont pas les meilleurs, règle générale, lorsqu'il est question de mathématiques. Dans une déclaration faite le 11 mars 2002, Luc Plamondon nous prouve hors de tout doute qu'il éprouve des problèmes avec l'addition:

« J'ai fini d'écrire les chansons de l'album. Ça fait soixante-six minutes, mais y faut encore que j'écrive soixante-six minutes pour faire un *show* d'une heure et quart. »

NOTE: Imaginez combien de minutes ça aurait pris pour un *show* de trois heures !

****

BRITNEY SPEARS, chanteuse pop, dévoile son petit côté raffiné lorsqu'on lui demande quelle est sa boisson préférée le matin :

« Capp... cappu... J'suis pas capable de le prononcer, mais j'aime ça. »

****

Encore une fois, BRITNEY SPEARS :

« Je voyage régulièrement dans des endroits outre-mer comme... le Canada. »

****

Et en rappel, voici BRITNEY SPEARS :

« Où diable se situe l'Australie de toute façon ? À 16 h de Los Angeles ? Qui pourrait bien vouloir aller dans un endroit aussi éloigné ? »

****

Le 19 avril 2003, LISA MARIE PRESLEY révèle son côté intellectuel :

« Lorsque je suis seule trop longtemps, je me mets à réfléchir, et ça ne m'intéresse pas. Ça ne donnerait rien de bon. »

****

CHRISTINA AGUILERA, une autre chanteuse pop, veut vraisemblablement rivaliser avec la sympathique Britney :

« Alors, où aura lieu le Festival des films de Cannes cette année ? »

****

Pendant que tous les artistes se prononçaient contre la guerre en Irak, la top-modèle NAOMI CAMPBELL y allait d'une déclaration pour le moins surprenante, le 10 mai 2003 :

« Mes sources m'ont révélé où se cache Saddam Hussein. Il est en Arabie Saoudite. »

NOTE : Voilà qui élimine bien des préjugés qu'on peut avoir sur les top-modèles. Qui aurait cru que Naomi Campbell, entre deux cures de désintoxication, était LA personne aux États-Unis qui pouvait permettre aux autorités de mettre la main sur Saddam Hussein ? Il est grand temps de vérifier ce que Claudia Schiffer détient comme informations sur Al-Qaïda !

****

GEORGE CLOONEY, un autre artiste très bien informé qui doit savoir de quoi il parle, nous livre son analyse...

« Il n'y a aucun lien entre le réseau Al-Qaïda et l'Irak. »

NOTE : Wow ! Heureusement que les services secrets ont Batman !

****

STÉPHANE de Normétal, fameux concurrent de *Star Académie*, dans le livre intitulé *Dans l'intimité de Star Académie*, nous parle de son expérience :

« Je compare ça à une vitre d'automobile : moi, je suis le grain de sable. Seul, je ne peux pas couvrir toute la vitre, mais avec les autres grains, nous pouvons y arriver. »

NOTE : On imagine que les autres « grains », ce sont les concurrents de *Star Académie*.

****

Dans la catégorie *Déclaration quétaine qui veut rien dire, mais qui sonne ben pareil.*

Dans *La Presse* du 28 septembre 2002, on peut lire cette déclaration de CÉLINE DION à la foule qui l'entourait lors du dévoilement de son étoile devant le très prestigieux Forum Pepsi:

« J'ai chanté pour vous, mais vous m'avez donné la voix. »

****

Dans la catégorie *Parfois, c'est pas bon d'être trop honnête...*

Le 10 mars 2003, CÉLINE DION explique pourquoi son nouveau spectacle à Las Vegas ne dure que quatre-vingt-dix minutes:

« Ils veulent que les gens retournent au Casino et perdent de l'argent. »

SOURCE: Associated Press.

****

CÉLINE DION parle de René:

«Quand je me couche le soir dans les bras de mon mari, on ne peut pas croire qu'on va fermer les yeux pour huit ou neuf heures sans se voir. »

NOTE: Arrête, on va brailler!

SOURCE: www.celinesmusic.com

Chapitre 5
Déclarations de guerre

Tout le monde s'en souvient... Février 2003 : 600 000 victimes en 48 heures ! Mais assez parlé de *Star Académie*, parlons de la guerre en Irak... (C'est la troisième fois qu'on fait la même blague, mais en humour, ça s'appelle un *running gag* !)

****

Une des grosses nouvelles de la guerre a été la non-participation du Canada... Quelle déception ça a dû être pour les soldats américains de ne pas pouvoir compter sur la présence des soldats de notre vaillante armée !

Qui utiliser maintenant pour tester des mines? Pour nettoyer les toilettes avec une brosse à dents? Pour être sur le terrain ennemi, devant les soldats américains, habillés en vêtements fluo?

****

Ça n'a pas été une année facile pour l'armée canadienne. Quoique... elle a tout de même établi le record mondial de plongée en battant tous les sous-marins. Malheureusement, c'était avec un F-18!

****

On s'est rendu compte cette année que ceux qui sont dans l'armée parce qu'ils rêvent de sauter en parachute n'ont qu'à devenir pilote... Veut, veut pas, ils vont en essayer un bien assez vite!

****

Les avions ont aussi éprouvé de gros problèmes sur le plan des communications, le système utilisé étant beaucoup trop vieux. Mais est-ce qu'il faut s'étonner qu'il y ait de la friture sur la ligne quand les figures militaires les plus connues au pays sont le colonel Sanders ou le capitaine High Liner ?

****

Au moins, ces problèmes ont été récupérés commercialement. Ce qui a entre autres inspiré le nouveau jeu de «Battleship canadien»... C'est comme le Battleship normal, sauf que les bateaux coulent tout seuls !

****

Dans le fond, on s'est aperçu que c'était une très bonne chose que notre armée n'ait pas participé à cette guerre, l'équipement et la technologie disponibles pour nos soldats n'étant pas des plus crédibles... Imaginez le dépliant publicitaire : «Un commando d'élite se prépare à la guerre bactériologique, les hommes sont rapides, motivés... et s'entraînent activement au Lovers de Laval !»

****

Tous ces problèmes ne sont toutefois pas nouveaux : les dernières années n'ont pas été faciles pour l'armée de notre pays... En raison des scandales qui les ont affectées, on s'est aperçu que les forces armées portaient très bien leur nom puisque, la plupart du temps, les soldats font l'amour armés et de force...

****

Au cours de la guerre en Irak, plus que dans n'importe quelle autre guerre, tout était contrôlé par ordinateur... Au point où, si ce n'était pas de Windows XP, on aurait peut-être pu éviter d'envoyer un missile sur l'hôpital de la Croix-Rouge...

Durant la guerre, les Américains employaient n'importe quel moyen pour saper le moral des Irakiens : brouiller les ondes de leurs stations de radio, de télé... La situation était devenue tellement ridicule qu'on aurait cru assister à une grève des employés de Vidéotron. Oh oui ! À ce point-là* !

* Pour sectionner le câble de la résidence des Justiciers masqués, veuillez vous rendre au 1355, Bank Street, Ottawa (Ontario), K1H 8K7.

Les troupes américaines ont vraiment pris d'assaut tous les médias du pays. À croire que Pierre-Karl était rendu au Pentagone*!

****

La nouvelle la plus drôle de la guerre : après avoir pris le contrôle des médias, pour écœurer les Irakiens, on diffusait du Céline Dion! En voyant sa nouvelle coupe de cheveux, ils y ont pensé à deux fois avant d'utiliser des armes chimiques...

Voici les meilleures déclarations... de guerre !

Dans la catégorie *J'ai raison faque ferme donc ta yeu...*

Le 20 mars, conférence de presse à la Maison Blanche du secrétaire d'État à la Défense, DONALD RUMSFELD :

Le journaliste : Général, quelles preuves avez-vous que les soldats irakiens...

D. Rumsfeld [le coupant] : On a des preuves.

---

* OK, on fait juste se rattraper pour la blague de Vidéotron... On n'est pas fous, bâtard !

Le journaliste : Quel genre de preuves ?

D. Rumsfeld : Des bonnes preuves.

****

Dans la catégorie *Y ferait même pas ça à LCN !*

NATASHA KAPLINSKY, animatrice de l'émission *BBC Breakfast*, présente le reportage d'une journaliste. Elle dit d'un air grave à la caméra :

« On s'en va maintenant rejoindre Caroline Wyatt qui se trouve au quartier général des troupes britanniques. Évidemment, comme tous les journalistes, Caroline ne peut révéler ni l'endroit où elle se trouve précisément, ni les endroits où elle compte se rendre aujourd'hui. Alors, Caroline, où êtes-vous en ce moment et quels sont vos plans pour la journée ? »

****

Le ministre irakien de l'Information, mieux connu par le surnom de BAGDAD BOB, décrit la situation en Irak. Bizarrement, on dirait qu'il n'est pas au courant des mêmes événements que la population... Il devait regarder TQS!

«Il est interdit de mentir en Irak. Le président Saddam Hussein ne tolère rien d'autre que la vérité [...]. Il n'y a aucun Américain à Bagdad! Jamais!»

****

À propos des troupes américaines, BAGDAD BOB affirme:

«Ils sont vraiment les bienvenus. On va les massacrer comme des chiens.»

NOTE: Ça doit être beau quand il reçoit la belle-famille à souper!

Et il ajoute:

«Ces lâches n'ont aucune morale. Ils n'ont aucune honte à mentir! Ils ne sont même pas proches de Bagdad! Ils ne sont nulle part! Nulle part en Irak. C'est une illusion...»

NOTE: Ben non, c'est pas des missiles qui tombent sur Bagdad... c'est des shish-taouks géants!

****

Dès le début de la guerre en Irak, les Américains ont envahi l'aéroport de Bagdad, sans la moindre résistance adverse. Les images ont été diffusées dans le monde entier et vues par tous sauf... par le ministre irakien de l'Information, BAGDAD BOB. Il devait regarder *Star Académie*!

« Ils ne sont même pas proches de l'aéroport... Ils sont perdus dans le désert... Ils ne sont même pas capables de lire un compas... Ils sont retardés. »

NOTE : Le sympathique ministre a par ailleurs qualifié les Américains de «Tarateer». En joual irakien, cela équivaut à les traiter de «pleins de marde».

Le lendemain, il avoue que les Américains ont envahi l'aéroport, mais ajoute :

« On a repris l'aéroport. Il n'y a aucun Américain là. Je vais vous y amener moi-même. Pas tout de suite, DANS UNE HEURE ! »

NOTE : C'est parce que dans une heure... il *n'y aura plus* d'aéroport !

****

Au plus fort du conflit, BAGDAD BOB déclare :

« Nous les avons défaits hier. Quand Dieu le voudra, je vous donnerai plus d'informations. »

Le lendemain, il change d'idée :

« Oui, les Américains ont avancé plus loin. Ça va tout simplement nous rendre la tâche plus facile pour gagner ! »

****

À propos des soldats irakiens qu'on a vus à la télévision se rendre aux troupes américaines, le ministre de l'Information, BAGDAD BOB, a une explication on ne peut plus logique :

« Ce ne sont pas des soldats qui viennent d'Irak ! Les Américains les ont amenés avec eux, d'où est-ce qu'ils sortent ? »

****

De toute évidence, BOB ne craint pas les contradictions:

« Ils sont malades dans la tête. Ils disent qu'ils ont pénétré dans la ville avec soixante-cinq tanks. Je vous dis que c'est faux. Il n'y a pas de tanks. Ça fait partie de leur maladie mentale. »

Le lendemain, il affirme:

« On a détruit cinquante tanks aujourd'hui. »

****

Finalement, le bon côté de la guerre en Irak, c'est que jamais ça n'a eu l'air d'une chicane de cours d'école, n'est-ce pas, BAGDAD BOB?

« Ils pensent qu'on est retardés... ILS sont retardés! »

NOTE: Mets-en! Celui qui le dit, c'est celui qui l'est!

Chapitre 6
Ils nous ont déclaré

Dans le cadre de notre émission de radio avec François Fortin le week-end dès 9 h sur les ondes de CKOI (c'est une subtile plogue), nous avons eu la chance de prendre au piège plusieurs personnalités en nous faisant passer pour d'autres personnes au téléphone. Voici donc les déclarations exclusives faites par nos victimes préférées !

MARIO DUMONT est un fort sympathique bonhomme que nous avons pris au piège en jouant les journalistes. Mario n'a jamais caché son p'tit côté campagnard:

« Mon père est meilleur que moi pour égorger une dinde... Quand vient le temps de donner un coup de hache, pis de vider tout ça, pis d'enlever la plume, c'est mon père qui passe maître. Moi, je me retire. »

NOTE: Ouf ! Beaucoup trop d'informations !

****

MARIO, poursuivant la discussion :

« Le soir de Noël, ma femme et moi, on aime bien… »

NOTE : Ouf ! Beaucoup trop d'informations !

****

Certaines personnes ont affirmé que MARIO DUMONT est trop jeune pour la politique… Pas du tout ! La preuve : voyez un peu les sujets des conversations qu'on a eues avec lui :

« On demande juste au père Noël d'avoir une équipe parlementaire à l'Assemblée. »

NOTE : De toute évidence, on n'a pas été sages !

****

Marc-Antoine : Trouvez-vous que j'ai une bonne imitation de Jean Chrétien ?

Arnold : Une imitation parfaite, parce que moi, entre un accent français et un autre, je ne vois aucune différence.

****

Voici la façon dont le *Terminator* salue Jean Chrétien à la fin de l'appel :

« *Hasta la vista*, premier ministre ! »

****

STEVEN SPIELBERG a une conversation intense avec le «premier ministre», mais les stars américaines ont pour le Canada une amitié toute spéciale... Un peu comme on aime bien le p'tit cousin légèrement «spécial» qui se cogne la tête sur les murs !

« Le Canada ressemble aux États-Unis il y a 175 ans. »

Note : Bon d'accord... Mais à part à Normétal, l'électricité se rend pas mal partout !

****

Une fausse Céline Dion appelle la vraie BRITNEY SPEARS et lui propose de faire un concert avec elle...

Céline : Mon ami Tiger Woods m'a confirmé qu'il voulait chanter une chanson très spéciale en duo avec toi et ça va s'appeler *Faisons un trou d'un coup*.

Britney : Oh ! je serais très intéressée !

****

Voici la réponse de BRITNEY SPEARS lorsqu'on lui annonce qu'elle s'est fait piéger :

« Je me sens comme une complète attardée mentale ! »

NOTE : Puisque c'est elle qui le dit !

****

Un faux Jacques Villeneuve appelle l'animateur le mieux payé du monde, DAVID LETTERMAN

du *Late Show* à CBS:

Jacques Villeneuve: J'écoute votre émission tous les soirs!

David Letterman: Tu dois avoir de meilleures choses à faire qu'écouter cette merde-là!

NOTE: Ça paraît qu'il n'a jamais vu *Chabada*!

****

BERNARD LANDRY est persuadé qu'il parle à un journaliste du *Nouvel Observateur* (un magazine français d'actualité très en vue). Le «journaliste» lui parle de son pays, le Québec, et, surtout, de la poutine! Landry répond:

«Par moins trente, une bonne poutine chaude, ça remonte le moral.»

NOTE: Ça tombe bien, les nouveaux bureaux du PQ sont situés à la Belle Province!

****

TIGER WOODS se voit remettre l'Ordre du Canada par un Jean Chrétien enflammé (vos humbles serviteurs) qui est obsédé par le golf... Or, comme tout le monde le sait, Tiger a déjà joué avec notre vaillant premier ministre... Manifestement, ti-Jean a l'air plus vieux dans la réalité!

Jean Chrétien : Est-ce que j'étais bon pour un homme de quatre-vingt-huit ans?

Tiger Woods : Tu la frappais bien, j'étais impressionné!

NOTE : Si Chrétien a quatre-vingt-huit ans, quel âge a donc Edgar Fruitier?

****

Une dernière proposition indécente...

Jean Chrétien : Ma femme Aline t'aime beaucoup... La prochaine la fois qu'on se voit, que dirais-tu d'un *threesome*?

Tiger Woods : Oui, je pense qu'on aurait du plaisir.

NOTE : Bon appétit, tout le monde! Ouache!

****

Lors d'un entretien téléphonique avec le «premier ministre», BERNIE ECCLESTONE commente candidement la saison de Jacques Villeneuve:

«Pas très bon! Je ne sais pas ce qu'est son problème ou... Ça semble être... Je ne sais vraiment pas... Je pense qu'il était atrocement surpayé et qu'il était là juste pour l'argent. Je veux dire... C'est un très bon ami et j'essaye de l'aider.»

NOTE: Avec des amis comme ça...

Épilogue

Épilogue ? C'est quoi ça, un épilogue ? Pis d'abord, ça ne nous tente pas d'en écrire un !